D1511498

Du même auteur, chez le même éditeur :

Hélène

Le ballon d'Hélène

Hélène à la plage

Dépôt légal : février 1998; D.1998/7943/13
ISBN 2-874-00002-7

Imprimé en Belgique

Catarina Kruusval

Hélène
et
le bouquet
d'anniversaire

CROQUE•LIVRES

Aujourd'hui, c'est la fête chez Hélène.
C'est l'anniversaire de maman.
Hélène a mis sa plus jolie robe.

La maison est pleine de grandes personnes.
Elles discutent sans arrêt.
Personne ne remarque Hélène.

Maman a reçu des tas de fleurs.
Hélène n'en a jamais vu autant.

Hélène a une idée.
Pourquoi n'offrirait-elle pas des fleurs
à maman, elle aussi ?

Elle descend l'escalier
et s'en va... toute seule.

La porte est très grande et très lourde.
Hélène réussit à l'ouvrir... toute seule.

Dehors, elle trouve une jolie fleur.

Cette fleur jaune sent très bon.

Hélène cueille une belle fleur rouge
derrière la grille verte.
Mais le vieux monsieur n'est pas content.
"Viens ici!" crie-t-il, en colère.

Mais Hélène n'obéit pas.
Elle s'enfuit.

Elle s'enfuit loin, très loin.
Et regardez ce qu'elle a trouvé!
Une petite fleur blanche.

Dans la forêt, elle voit
de très grandes fougères.
Elle en cueille une pour maman.

A présent, elle veut rentrer à la maison.
Mais quel chemin faut-il prendre ?

Elle en choisit un.

Et puis un autre...

Hélène ne sait plus...
Elle a perdu le chemin de la maison.
Hélène est triste. Elle a faim.

Elle trouve des airelles.

Tout à coup, elle entend des voix.
"Hélène! Hélène!"

Quelqu'un l'appelle.
"Je suis ici!" crie Hélène.

C'est maman. Et tous les autres.
Il y a aussi la tante d'Hélène
et le vieux monsieur du jardin.

"Rentrons, maintenant, dit papa.
C'est la fête à la maison."

Hélène met les fleurs dans un vase.

Puis, elle raconte son escapade.
Tout le monde lui pose des questions.
"Je n'ai même pas le temps de manger
mon gâteau !" s'exclame t-elle.

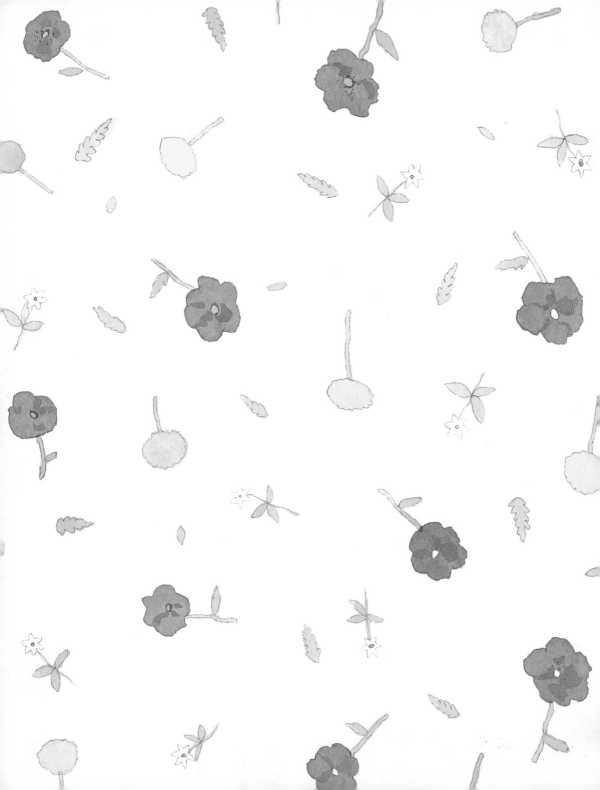